Pour Lucie, Sophie et Alexis

© 1994, l'école des loisirs, Paris
Loi n° 49 956 du 16 juillet 1949 sur les publications
destinées à la jeunesse : mars 1994
Dépôt légal : novembre 1995
Imprimé en France par Aubin Imprimeur à Poitiers

Diffusion l'école des loisirs

Geoffroy de Pennart

Le loup est revenu !

kaléidoscope

Ce soir, monsieur Lapin a peur d'aller se coucher.
Il vient de lire dans son journal une nouvelle terrifiante !
LE LOUP EST REVENU !

Monsieur Lapin
se précipite
pour fermer la porte
à double tour quand
soudain :
« TOC ! TOC ! TOC ! »
« Oh, mon Dieu !
C'est LE LOUP ! »

« OUVRE !
OUVRE VITE !
DÉPÊCHE-TOI !
C'est nous,
les Trois Petits Cochons.
S'il te plaît,
monsieur Lapin,
laisse-nous entrer.
Nous avons
terriblement peur.
LE LOUP
EST REVENU ! »
« Entrez, mes amis,
entrez », leur dit
monsieur Lapin,
soulagé.

À peine la porte est-elle refermée que soudain :
« TOC ! TOC ! TOC ! »
« Aïe, aïe, aïe ! voici LE LOUP ! »

« C'est moi, madame Chèvre avec mes sept petits
chevreaux. Nous venons nous réfugier chez toi. Connais-
tu l'affreuse nouvelle ? LE LOUP EST REVENU ! »
« Entre ma bonne amie, entre avec tes petits », répond
monsieur Lapin, rassuré.

Toute la famille s'installe et soudain :
« TOC ! TOC ! TOC ! »

« Est-ce LE LOUP qui frappe de la sorte ? »

« C'est moi,
Petit Agneau.
J'étais en bas
près du ruisseau.
Mais je ne peux pas
rentrer chez moi.
LE LOUP
EST REVENU ! »
« Entre vite,
Petit Agneau,
lui dit
monsieur Lapin.
Viens te réchauffer. »

Petit Agneau s'installe près du feu
mais soudain :
« TOC ! TOC ! TOC ! »

TOC !

TOC !

TOC !

« Cette fois-ci, c'est sûrement LE LOUP ! »

« C'est moi, Pierre. J'ai désobéi à Grand-Père.
Je vais chasser le loup. Vous savez ? IL EST REVENU !
L'avez-vous vu ? Est-il chez vous ? »

« Non, non, répond monsieur Lapin, et nous espérons bien ne jamais le voir. Mais entre donc, Pierre. Sois le bienvenu. »

Petit Pierre se joint aux autres et soudain :
« TOC ! TOC ! TOC ! »

« C'est peut-être le loup ! » s'écrie Pierre
avec enthousiasme.

« C'est moi, Petit
Chaperon rouge.
Ouvre-moi, Grand-Mère.
Je t'apporte des galettes
et un petit pot de beurre. »
« Tu te trompes de maison,
Petit Chaperon rouge,
lui dit monsieur Lapin.
Ta grand-mère a déménagé.
Mais entre vite.
Il ne faut pas te promener
dans le bois.
LE LOUP EST REVENU ! »

« Et si nous en profitions pour dîner ? »
propose alors monsieur Lapin.
Tous trouvent l'idée excellente et très vite
un délicieux repas est préparé.

Les amis se mettent à table quand soudain :

BOUM !

BOUM !

BOUM !

« Tiens, dit monsieur Lapin, l'air étonné.
Nous n'attendons plus personne ! »

30

C'est **LE LOUP**. Il a très très faim !

Mais à peine le loup a-t-il fait
un pas que lapin, cochons,
chèvre, chevreaux, agneau,
Pierre et Chaperon rouge
se jettent sur lui.

Le loup est à terre et monsieur Lapin prend la parole.
« LOUP, NOUS N'AVONS PLUS PEUR DE TOI !
Mets-toi bien ça dans la tête. »
Puis il ajoute : « Mais si tu promets d'être gentil
et de nous raconter des histoires de loup
qui font peur, alors, nous t'invitons
à dîner avec nous. »

Et c'est ainsi que ce soir-là, autour d'une table
bien garnie, chez monsieur Lapin,

LE LOUP EST REVENU !